DESASTRE INMINENTE

Terremoto

**Joliet Public Schools # 86
ELL Programs
Title III**

¡NO TE PIERDAS NI UN MINUTO DE ESTA ESPELUZNANTE AVENTURA!

DESASTRE INMINENTE

Terremoto

MARLANE KENNEDY

ilustrado por
ERWIN MADRID

SCHOLASTIC INC.

Originally published in English as *Disaster Strikes: Earthquake Shock*

Translated by Noel Baca-Castex

ISBN 978-0-545-76088-1

12 11 10 9 8 7 6 5 4   17 18 19/0

Printed in the U.S.A.   40
First Spanish printing, September 2014

Designed by Nina Goffi

A Jenne Abramowitz y Lauren Tarshis, mis dos hadas madrinas, por la serie Desastre Inminente. ¡Ustedes dos han hecho temblar mi mundo como autora y les estaré siempre agradecida!

CAPÍTULO 1

Joey Flores, de diez años, se paró en lo alto de la rampa. Respiró profundo, se ajustó el casco y le hizo una seña a su amigo Kevin Cheng para que empezara a filmar.

Empujó su patineta con el pie y, cuando había tomado velocidad suficiente, pateó fuerte la parte de atrás de la patineta y de un salto se subió a la barra metálica de un pie de alto. Se deslizó por la barra, todo el largo de la rampa, y se bajó al final, con las rodillas dobladas, aterrizando con un agradable estrépito. Alzó el puño en el aire.

—¿Viste eso? —le gritó a Kevin.

A Joey le habían regalado la patineta por su cumpleaños y, aunque pasaba todo su tiempo libre en el parque de patinetas, con sus medio tubos, barras metálicas, rampas y saltos, esta era la primera vez que lograba hacer este truco sin caerse.

Kevin sonrió levantando el pulgar mientras que la otra amiga de Joey, Fiona Rollins, le dio una palmada en la espalda al pasar a su lado en su patineta. Fue el momento perfecto. Hasta que…

—¡¡Bravo!! ¡¡Qué bien, Joey!!

La mamá de Joey lo saludaba desde el césped en el borde del parque. Su hermanita, Allie, estaba sentada frente a ella babeando y mordiendo un anillo de goma.

—Sííí, qué bieeeen, mi niño —le dijo Dylan al oído a Joey, burlándose de él mientras pasaba también en su patineta.

Dylan vivía en el mismo edificio que Joey y tenía la costumbre de burlarse de él desde que… bueno… desde que Joey tenía memoria. La mamá de Dylan era amiga de la mamá de Joey, por eso, aunque Dylan era dos años mayor que Joey, sus mamás a menudo los obligaban a pasar tiempo juntos. Cuando eran pequeños, Dylan le quitaba los juguetes a Joey. Luego, al crecer, aprendió a burlarse de él. Más que un abusón era un hermano mayor pesado, tan difícil de ignorar como un molesto mosquito gigante. En ese momento, Joey hacía lo posible por ignorar a Dylan, pero por dentro echaba chispas.

Joey también hizo lo posible por evitar mirar a su mamá a los ojos. El parque de patinetas quedaba a solo quince minutos de su casa. Todos los otros chicos del vecindario podían quedarse allí sin un adulto que los vigilara. Desafortunadamente, la mamá de Joey pensaba que él era demasiado chico para quedarse en el parque sin supervisión. A Joey esto le daba mucha vergüenza.

Pero le esperaba una bella tarde. En lugar de enojarse con su mamá sobreprotectora, Joey se concentró en que eran las cuatro y media de la tarde de un viernes. La semana escolar había terminado y estaba en su lugar favorito: el parque de patinetas. Además, el sol brillaba, el cielo estaba azul, no hacía ni demasiado frío ni demasiado calor; era un día perfecto de primavera en su vecindario, en las afueras de la ciudad de Los Ángeles.

Ahora que ya había conquistado la barra metálica de un pie de alto, era hora de seguir adelantando e intentar algunos trucos nuevos. Estaba en una buena racha; lo sentía. ¡Quizás podía probar a bajar por el medio tubo!

Joey patinó hasta allí. Fiona estaba subiendo y bajando en su patineta por los lados curvos del medio tubo. La chica se deslizó hacia arriba, mantuvo la patineta quieta por un momento en la parte superior y luego rodó hacia abajo sin esfuerzo.

Kevin estaba filmando cada movimiento con su cámara portátil. Quería ser productor de cine cuando fuera grande. Veía el mundo desde una lente, y capturar lo que sucedía en el parque de patinetas era buena práctica. Luego llevaba a casa lo que había filmado y lo subía a su computadora para editarlo, ponerle música y agregar efectos especiales.

Joey no podía creer lo bien que Kevin hacía que él se viera en los videos. No patinaba desde hacía tanto, pero su amigo hacía que pareciera un profesional de la patineta.

Aunque le faltaba mucho para llegar a ser tan bueno como Fiona. Incluso sin la sofisticada edición de Kevin, ella era increíble. Patinaba desde los cuatro años. Su papá había sido un profesional de la patineta, por eso ella aprendió desde chica. Ahora su papá era diseñador gráfico y artista. Pero de vez en cuando pasaba por el parque y todos se quedaban boquiabiertos. Hasta podía hacer girar la patineta en el aire cuando bajaba por el medio tubo. Era un papá muy buena onda…

El papá de Joey era contador. Ese tenía que ser el trabajo más aburrido del mundo. Era buena persona y todo, pero se vestía, bueno, como un papá. El papá de Fiona parecía un cantante de rock.

Fiona finalmente se detuvo y Joey trató de juntar coraje. Nunca había bajado por el medio tubo desde la parte de arriba, pero sentía que hoy sería el día. Así que levantó su patineta pisando fuerte la parte de atrás, la tomó en la mano y se dirigió a las escaleras que llevaban a la parte de arriba.

Pero tuvo que frenar de repente.

—Joey —lo llamó su mamá—. ¡Tenemos que irnos! ¡Olvidé traer un pañal y necesito cambiar a Allie!

Todos en el parque enmudecieron, y a

Joey le pareció que los ojos de todos se dirigían a él. Luego alguien se rió, y pronto varios niños lo siguieron. Joey quería derretirse y desaparecer.

Pero su vergüenza pronto se convirtió en enojo. Con la patineta en la mano, corrió hacia su mamá.

—Acabamos de llegar —se quejó—. Dijiste que podíamos quedarnos una hora.

—Lo sé, y lo siento. Pensé que tenía pañales en la bolsa, pero no hay ninguno. Y tu hermanita realmente apesta.

Joey miró a su hermanita y trató de contener la respiración. La situación apestaba en más de un sentido…

Su hermanita lo miró, sonrió y arrugó la nariz.

—Mírala. No le molesta —dijo Joey—. No está llorando ni nada.

—No voy a dejarla con el pañal sucio mientras patinas, Joey —dijo su mamá con voz firme.

—Entonces llévala a casa y déjame patinar media hora más. Puedo volver caminando cuando termine.

La mamá de Joey respiró profundo.

—Ya hemos hablado sobre esto. No eres lo suficientemente grande para quedarte solo en el parque. Quizás en unos años, pero no ahora.

Dylan se acercó en su patineta y se bajó de un salto al llegar al césped.

—Yo puedo llevar a Joey a casa —dijo.

La Sra. Flores dudó un momento. Levantó una ceja y miró a Dylan pensativa.

—Tengo que llegar a casa antes de la cena, así que lo puedo dejar a eso de las cinco y media —agregó Dylan.

—Bueno… si es así… supongo que está bien —dijo la mamá de Joey. Su expresión se relajó un poco y sonrió—. Muchos chicos de tu edad ya cuidan niños, ¿no? —añadió.

Joey puso los ojos en blanco. ¿Cómo podía su mamá pensar que él necesitaba una niñera (o niñero en este caso)? ¡Y encima Dylan! Pero si así podía quedarse en el parque, no se iba a quejar.

—Gracias, Dylan —dijo la mamá de Joey empujando el cochecito de Allie hacia la acera. Y luego gritó—: Ten cuidado, Joey. No intentes ningún truco nuevo, ¿de acuerdo?

—De acuerdo —dijo Joey. Pero ya había decidido que tan pronto su mamá se fuera, iría a la parte más alta del medio tubo.

Iba caminando hacia el área de cemento del parque para continuar patinando cuando Dylan se le acercó.

—Ten cuidado, Joey-Woey. Te puedes

hacer un rasponcito. Y mami no va a estar aquí para hacerte sentir mejor —dijo Dylan con voz burlona. Se echó a reír, y luego añadió muy serio—: ¡Y yo ni loco beso tu rodilla raspada!

Minutos más tarde, Joey estaba parado en lo más alto del medio tubo. La parte delantera de su patineta en el aire mientras que su pie se mantenía firme en el extremo de atrás de la tabla para mantener el equilibrio. Kevin apuntaba su cámara hacia él, listo para grabar su primera bajada gloriosa.

Joey estaba nervioso. Era una graaaaan bajada.

—¡Gallina! —le gritó Dylan—. *Cloc cloc cloc*. ¡No tienes agallas para hacerlo!

De repente, Joey pisó el frente de su tabla, dando comienzo a la inevitable bajada.

¡Caramba! Nunca antes había ido tan rápido. Se deslizó a toda velocidad hacia la parte de abajo del medio tubo, pero de pronto se cayó de la patineta. La tabla llegó hasta abajo sin él, pero él la siguió sentado en el tubo como si bajara por un tobogán gigante.

—¿Qué fue eso? —dijo Dylan, desternillándose de risa.

Fiona miró a Dylan.

—Como si nunca te hubiera visto hacer eso a ti —le dijo—. Ese fue un excelente primer intento —le dijo a Joey—. ¡Bajaste más de la mitad!

A pesar del fracaso, Joey se sintió emocionado al levantarse. Había querido bajar ese medio tubo desde que le habían regalado la patineta y finalmente lo había hecho. Y no había sido tan aterrador como pensaba.

Y cuando llegó el momento de que Dylan lo acompañara a su casa, Joey ya había logrado bajar todo el medio tubo sin caerse.

CAPÍTULO 2

Joey no podía esperar a que pasaran uno o dos días hasta que Kevin hiciera su magia con los videos. Su amigo había filmado su exitosa bajada por el medio tubo y otros trucos increíbles que Fiona había hecho, así que tanto Fiona como él querían ver el video sin importar que no estuviera editado.

La mamá de Joey pensaba que él era demasiado pequeño para tener celular, por eso Joey tuvo que pedirle prestado a Kevin el suyo para llamar a su mamá. Le preguntó si podía invitar a sus amigos a ver el video en su casa, y ella los invitó a todos a comer pizza. También invitó a Dylan, pero cuando Joey le preguntó, este se negó.

—Como si me divirtiera estar rodeado de enanos —se burló.

Mientras regresaban a casa patinando por la acera, Dylan siguió molestando a Joey, lo que hizo pensar al chico que por eso se había ofrecido a acompañarlo hasta su casa.

—¿Sabían que cuando Joey tenía cinco años vomitó en su pastel de cumpleaños? Primero sopló las velas y después pedazos de comida —dijo Dylan, riéndose de su propio chiste.

Kevin vio la cara enojada de Joey y cambió de tema.

—Podría filmarte haciendo un *kickflip* en la acera —le dijo a Dylan—. Haría un clip en cámara lenta para que se vea la tabla rotando y girando en el aire.

A Dylan le encantó la idea. Le gustaba alardear. Los dos se quedaron atrás un momento para hablar del clip, mientras Joey y Fiona siguieron patinando hacia un túnel que pasaba por debajo de la autopista. El vecindario de ellos quedaba del otro lado de la misma, pasando una loma sembrada de flores. Luego venía una serie de casitas y, más allá, el edificio de apartamentos donde vivían Joey y Dylan.

La calle pasaba bajo el túnel, y a Joey y a

Fiona pronto los cubrió la sombra del mismo. Comenzaba la hora pico y el ruido de los autos que pasaban tanto a su lado como por encima del túnel producía un gran eco.

De pronto, Joey oyó un estruendo. Una sacudida lo empujó hacia adelante y lo hizo caerse de la patineta. Miró a Fiona. Todavía estaba sobre su patineta, pero se veía que también había sentido el temblor. ¿Habría chocado un auto contra una pared del túnel? Se volteó para ver y notó que la acera se movía bajo sus pies. Trató de mantener el equilibrio, pero la acera empezó a subir como si la estuvieran inflando. Joey oyó un horroroso estruendo, el sonido del concreto quebrándose, y supo lo que estaba sucediendo.

Era un terremoto. Joey había sentido algunos más leves, pero este era diferente. Tenían que salir de debajo de la autopista.

Fiona había saltado de su patineta, pero estaba como paralizada. Joey la agarró del brazo y la haló hacia él.

—¡Tienes que correr! —le gritó—. ¡Ahora!

—¡No... no... no sé si p-p-puedo! —dijo Fiona con voz temblorosa.

—¡Tienes que poder! —gritó Joey arrastrándola.

Pero era casi imposible correr con el suelo moviéndose para arriba y para abajo. Los dos se cayeron varias veces y tuvieron que ayudarse para poder levantarse. Llovía polvo y pedazos de concreto desde arriba.

El sol, indiferente al terremoto, seguía brillando afuera del túnel.

—¡Solo un poco más! —le gritó Joey a Fiona.

Avanzaron agarrados de la mano. Los pedazos de concreto los perseguían como un monstruo horrible que intentaba engullirlos.

—¡¡Ay!!

Algo duro y pesado le dio en el hombro a Joey. Pero no podían dejar de correr.

Por fin, el suelo se aquietó, y Joey y Fiona pudieron salir a la acera soleada. Pero antes de que pudieran avanzar mucho más, el suelo volvió a temblar violentamente y sintieron una explosión ensordecedora: el horrible sonido del desmoronamiento total.

Fiona tropezó, haciendo que Joey cayera también. El chico cayó tan fuerte que se quedó sin aire. No podía respirar. No se podía mover. El suelo temblaba intermitentemente bajo su cuerpo mientras el ruido de la autopista derrumbándose se fue apagando. El suelo tembló una vez más. Joey se quedó quieto, tratando de llenar sus pulmones de aire.

Luego de lo que pareció una eternidad, respiró profundo y se sentó. Le llevó un momento darse cuenta de que estaba bien. Sus rodillas estaban raspadas y ensangrentadas. El hombro le dolía. Se tocó suavemente el lugar donde había sido golpeado. Lo que fuera, le había dejado un gran hematoma. Miró a Fiona. Yacía tirada en el suelo, inmóvil, rodeada de polvo y escombros. Tenía los ojos abiertos y una expresión de asombro total en el rostro.

—¿Fiona? —dijo Joey—. ¿Estás bien?

Pero su amiga no respondió.

CAPÍTULO 3

Durante un instante, Joey pensó que Fiona había muerto. Pero entonces, la chica pestañeó y tosió. Luego, se incorporó lentamente.

—Estoy bien… Creo —dijo tocándose la frente donde comenzaba a salirle un chichón morado gigante—. Me debo de ver horrible.

Aliviado, Joey tuvo ganas de reírse. Fiona acababa de vivir un terremoto, tenía un terrible chichón en medio de la frente, ¡y estaba preocupada por su aspecto!

Pero su ánimo cambió rápidamente cuando comprendió lo que acababa de suceder.

Había grietas no solo en la acera sino también en la calle. De hecho, una grieta enorme recorría la calle a pocos metros de distancia. Era de al menos uno o dos pies de profundidad. Había pedazos de acera y de calle apuntando hacia arriba. Los autos que hacía un momento pasaban rápidamente estaban desparramados por todas partes, y se veía a sus conductores en estado de shock. Joey vio que una casa cercana estaba medio derrumbada. Tenía los vidrios rotos y las paredes agrietadas.

Lentamente, Joey y Fiona se voltearon y miraron hacia atrás. A solo pocos pies, los escombros eran inmensos. Había bloques de concreto en todos los ángulos posibles. Formaban una pequeña montaña. Habían caído tres autos cuando la autopista se derrumbó. Uno estaba de costado, todo abollado por el impacto. Otro estaba cabeza abajo, la parte delantera escondida bajo los escombros. El tercero, que por milagro no se había dañado, se encontraba en la cima de la montaña de concreto, sobre un pedazo de autopista que había caído en una sola pieza.

Pero, ¿qué había debajo? Joey y Fiona habían dejado sus patinetas en el túnel. La patineta de Joey era su objeto más preciado, pero ahora, al pensar en lo otro que también podría haber quedado sepultado bajo los escombros, no le pareció tan importante.

¿Cómo podía cambiar el mundo tan drásticamente en tan poco tiempo? Un segundo todo estaba normal y al siguiente...

De repente recordó a sus amigos y se le hizo un nudo en el estómago. ¡Kevin! ¡Dylan! ¿Qué había sido de ellos?

Joey miró a Fiona. Por la cara de pánico que tenía, se dio cuenta de que su amiga se preguntaba lo mismo.

—¿Qué tan lejos estaban? —preguntó Fiona.

Joey la miró.

—No estoy seguro. No estaba prestando

atención, pero tienen que haber estado justo detrás de nosotros.

Pensó en su mamá y en Allie. Seguramente estaban en casa cuando ocurrió el terremoto. El apartamento de su familia estaba en el tercer piso. ¿Y si el edificio se había derrumbado como el túnel?

Lo invadió una ola de arrepentimiento. ¿Por qué se había avergonzado de que estuvieran en el parque hacía un rato? Con tal de que estuvieran a salvo, no le importaría que lo cuidaran en el parque ¡hasta que tuviera treinta años!

Y su papá seguro que estaba camino a casa cuando ocurrió el terremoto. Era un largo viaje en auto. ¿Cuántos puentes habría hasta la oficina de su papá? No tenía idea.

No importaba que su papá fuera un contador aburrido. No importaba que no fuera interesante ni que no tuviera el pelo largo y los jeans rotos. Era el mejor papá del mundo. En ese momento deseó estar en casa en un día normal y ver a su papá entrar por la puerta en su traje y corbata, verlo cargar a Allie y besar a su mamá, que le diera un abrazo a él y le pasara la mano por el pelo.

Fiona debió de estar pensando algo parecido. Estaba llorando, pero logró decir algunas palabras.

—¿Qué haremos ahora?

En ese momento, los conductores se estaban bajando de los autos y los vecinos del vecindario comenzaron a salir de sus casas, llenando la zona de gente. Algunas personas caminaban como zombis mientras que otras ayudaban a los heridos. Dos hombres y una mujer muy valientes subieron a la montaña de concreto hasta llegar a los autos atrapados por los escombros de la autopista

para ver si había algún herido. Aunque la familia de Joey necesitara ayuda, estaba demasiado lejos para que él pudiera hacer algo por ellos. Pero Kevin y Dylan tenían que estar cerca. Y nadie más sabría dónde buscarlos.

—Necesitamos encontrarlos —dijo Joey.

Fiona miró la carnicería de vigas de acero dobladas y sintió un escalofrío. Se llevó la mano a la boca, como si quisiera que sus emociones no salieran de su cuerpo. Tomó aire, se compuso y asintió.

Quizás fuera imposible encontrar a Kevin y a Dylan, pero Joey sabía que debían intentarlo.

CAPÍTULO 4

—Vamos —dijo Fiona, y comenzó a subir la montaña de concreto para llegar al otro lado.

Mientras Joey veía como la chica trataba de mantener el equilibro sobre los escombros, tuvo una idea.

—¡Fiona, espera! ¿Qué pasa si hay otro temblor? No te subas ahí, se podría venir abajo. Es más seguro dar la vuelta —dijo, y señaló la loma donde las flores amarillas y rojas estaban intactas. Nada las había aplastado. Sobre ellas solo había cielo azul.

Los chicos se dirigieron allí.

—¡Dylan! —gritó Fiona mientras ella y Joey subían la loma tan rápido como podían—. ¡Kevin! ¿Están ahí?

Cuando llegaron a la cima, miraron hacia el otro lado, escaneando frenéticamente el área para ver si veían a sus amigos. Pero lo único que vieron fueron más escombros y autos aplastados. Eso y las caras aterradas de personas con brazos fracturados y cortes ensangrentados que intentaban comprender lo que acababa de suceder. Eran todos rostros extraños.

Los chicos bajaron la loma. Fiona se puso

las manos alrededor de la boca una vez más y gritó:

—¡Kevin! ¡Dylan!

No hubo respuesta.

—No creo que hayan salido a tiempo como nosotros. No pueden haberlo logrado. Va a ser imposible encontrarlos.

—La voz de Fiona sonó frágil y entrecortada. Tenía la cara pálida, como si la realidad de la situación hubiera chupado el color de su piel—. ¿Qué les vamos a decir a sus familias?

Joey sintió terror. Un hombre ensangrentado que había sido rescatado de su auto se acercó a ellos tambaleándose, y Joey se puso a temblar. Quería huir de todo. Pero no podía. No podía dejar a sus amigos atrás.

—No. *Tienen que* estar por aquí. Por algún lado. Solo es cuestión de encontrarlos —dijo.

Y aunque no quería, dio unos pasos más hacia los escombros, con Fiona siguiéndolo detrás.

Y fue entonces cuando oyó algo que lo estremeció.

—Ahhhh.

Un leve gemido salía de entre unos grandes bloques de concreto. Fiona agarró a Joey del brazo; ella también lo había oído.

—Hay alguien atrapado ahí —dijo.

Joey sabía que sería imposible levantar los pesados bloques. Pero cuando miró más detenidamente, vio una abertura entre dos de ellos. Le dio miedo mirar hacia adentro. Pero igualmente se arrodilló, con las rodillas apoyadas sobre afilados escombros, y movió la cabeza hacia un lado.

No podía creer lo que veían sus ojos. ¡Era Dylan!

El chico estaba acostado boca abajo, con el teléfono celular en la oreja.

—¡Ahhh! —se quejó Dylan. Su quejido parecía más bien producto de la frustración que del dolor. Al ver a Joey, su expresión reflejó alivio—. ¡Joey, estoy tan feliz de verte! Tengo la pierna atrapada, ¡y estoy desesperado! Estaba tratando de pedir ayuda por teléfono pero no me puedo comunicar. Las líneas están ocupadas.

Fiona se arrodilló al lado de Joey y miró dentro de la abertura.

—¡Dylan! ¡Menos mal! ¿Estás bien?

—Eso creo —dijo Dylan lentamente—. No me duele la pierna. Al menos no mucho, pero no la puedo mover. Estoy atrapado. ¡Tienen que hacer algo para sacarme de aquí!

Joey nunca había imaginado que se alegraría de ver a Dylan. Pero estaba feliz. Es cierto que el chico lo molestaba y se burlaba de él, pero era parte de su vida desde hacía mucho tiempo.

De pronto, Joey sintió unas extrañas vibraciones bajo sus pies. Escuchó un grito a lo lejos. Los bloques de concreto que cubrían a Dylan temblaban y parecía que se iban a derrumbar. Dylan agitó las manos.

—¡Sáquenme de aquí! —gritó.

—¡Vamos! —exclamó Fiona.

Ella y Joey metieron las manos dentro de la abertura y agarraron los brazos de Dylan. Se prepararon y jalaron con toda su fuerza, gimiendo mientras intentaban sacar a su amigo. Pero no lo pudieron mover.

Cuando el suelo finalmente dejó de vibrar, Joey y Fiona soltaron a Dylan. El temblor secundario no había durado mucho. Pero Joey sabía que en cualquier momento podía haber uno más fuerte. ¡Tenían que sacar a Dylan ahora mismo! Joey analizó la situación. Los bloques que habían atrapado a su amigo eran muy pesados y se sostenían el uno al otro. Si él y Fiona levantaran uno, el otro caería. Si tan solo él pudiera ver de qué manera Dylan estaba atrapado debajo de ellos, quizás podría pensar en alguna solución.

—Dame tu teléfono —dijo.

—Eso no ayudará. Te dije que las líneas están ocupadas —se quejó Dylan.

—Lo necesito para alumbrar. Voy a

intentar meterme ahí adentro, de cabeza, quizás así pueda ver por qué estás atrapado.

—¡No puedes hacer eso! —exclamó Fiona—. ¿Qué pasa si hay otro temblor cuando estés ahí dentro? Esos dos bloques deben de pesar cientos de libras cada uno. Si se cayeran… —dijo, e hizo una mueca de dolor.

Pero ese era un riesgo que Joey debía correr. Extendió la mano y tomó el teléfono de Dylan. Luego se acostó boca abajo y se arrastró como un soldado, apoyando los codos en los afilados escombros mientras avanzaba. Había poco espacio para moverse. Y a medida que la abertura se hacía más angosta, entraba menos luz. Encendió el teléfono y lo apuntó hacia la pierna de

Dylan. Joey recorrió la pierna con la mano, pero no pudo ver qué la mantenía atrapada.

—La pierna parece estar bien —gritó Joey.

Pero al alumbrar el tobillo de su amigo se dio cuenta de que había hablado demasiado pronto. Una vara de metal atravesaba la parte de abajo de los jeans de Dylan. Y su media blanca estaba manchada con un inconfundible color rojo brillante. Dylan sangraba.

CAPÍTULO 5

Joey se preguntó si Dylan estaría en estado de shock. Quizás era por eso que no parecía sentir dolor. Palpó con cuidado el área donde la vara de metal había perforado los jeans, alumbrando con la luz del teléfono. Respiró aliviado. La vara de metal había perforado la tela del pantalón pero solo había rozado el tobillo de Dylan; había tenido una suerte increíble.

—He resuelto el misterio de por qué no te puedes mover —le dijo a Dylan—. Una vara de metal atravesó la parte de abajo de tus jeans.

—Bueno, por favor, ¡sácala! —exclamó Dylan.

—Tal vez esté sosteniendo el concreto de arriba —dijo Joey—. Si la muevo, todo podría derrumbarse y quedaríamos los dos atrapados. —Hizo una pausa—. O algo peor.

—Quizás deberías salirte de tus jeans —dijo Fiona.

—¿Y caminar por ahí en calzoncillos? De ninguna manera —dijo Dylan.

—Bueno, ¿prefieres quedarte atrapado? —contestó Fiona molesta.

Joey no la culpaba por la irritación en su voz. Estaban todos nerviosos.

Continuó inspeccionando la zona donde la vara había atravesado el pantalón.

—La vara está muy cerca del tobillo —dijo—, así que no hay espacio suficiente para que pueda sacar el pie. Pero si tuviera algo filoso, podría cortar el pantalón y liberarlo. La vara está a solo una o dos pulgadas de la parte inferior de los jeans. Un corte rápido y creo que Dylan podrá salir con jeans y todo.

—Creo que tengo una navaja de bolsillo —dijo Dylan—. Hace poco puse más cinta adhesiva en mi patineta para no resbalarme y juraría que guardé la navaja en el bolsillo de atrás.

Estaba empezando a hacer un calor sofocante bajo el concreto, y Joey comenzaba a sentir claustrofobia. Se arrastró hacia atrás hasta llegar al bolsillo trasero de Dylan, hurgó en él hasta encontrar la navaja y luego avanzó hasta la parte más angosta de la abertura. Ir tan profundo era peligroso, ¿pero qué más podía hacer?

Apoyó el teléfono en el suelo y abrió la navaja con cuidado en la oscuridad. Palpó con los dedos hasta encontrar la vara de metal y metió la navaja en el tajo que esta había hecho en el pantalón. Luego la deslizó hacia atrás y adelante por la gruesa tela. Se movió fácilmente hasta llegar al dobladillo, que era el doble de grueso. Joey cortó lo más rápido posible. Y tuvo suerte.

Cuando la navaja finalmente cortó los últimos hilos, la tierra comenzó a temblar.

—¡Estás libre! ¡Sal! —gritó.

Sintió que Dylan se retorcía para salir por la abertura. Joey intentó arrastrarse dando marcha atrás, para salir también, pero le costó más que cuando entró. Podía sentir el temblor del suelo en su estómago y el ruido del concreto moviéndose a solo pulgadas de su cabeza.

De pronto, sintió que alguien tiraba de sus tobillos. De un tirón fue sacado al aire libre en el mismo momento en que los bloques de concreto que habían estado sobre él empezaban a caer. Cerró los ojos al sentir los pedacitos de concreto que golpeaban su cara. Un segundo después, la tierra se calmó.

—¿Quién me sacó? —preguntó Joey a sus amigos en cuanto se vio liberado.

—Los dos lo hicimos —dijo Fiona—. Yo tiré de un tobillo y Dylan del otro.

Todos miraron hacia los bloques de concreto, que ahora estaban planos contra el suelo. Ninguno sabía qué decir. Finalmente, Dylan rompió el silencio.

—¿Y mi teléfono?

—Se me olvidó agarrarlo. Lo siento —dijo Joey, y se imaginó el teléfono en mil pedazos bajo los escombros.

Esperó a que Dylan dijera algo o lo insultara, pero este solo se encogió de hombros.

—No te preocupes —le dijo.

—¿Y qué pasó con Kevin? —dijo Joey—. Estaba contigo, ¿no?

—Kevin. Madre mía, Kevin. ¿No lo han visto? —dijo Dylan.

—No —dijo Fiona—. Logramos escapar del túnel cuando ocurrió el terremoto.

Dylan negó con la cabeza.

—Todo sucedió demasiado rápido. Kevin acababa de terminar de filmar mi *kickflip* y estábamos por entrar en el túnel. Cuando comenzó el terremoto intentamos dar la vuelta y correr, pero un auto que pasaba al lado nuestro frenó de repente y el que venía detrás tuvo que subirse a la acera para esquivarlo. Casi nos atropella, además de bloquearnos el camino. Fue entonces cuando me caí y todo me cayó encima. Creo que oí a Kevin llamarme, pero no me salía la voz. Debo de haber estado en estado de shock.

—Si oíste a Kevin llamarte debe de estar a salvo —dijo Joey.

Dylan miró hacia el suelo y se encogió de hombros. Parecía esforzarse por no llorar.

—No sé. No pude determinar si su voz provenía de debajo de los escombros. Quizás él también estaba atrapado —dijo Dylan con la voz ahogada—. O quizás estaba caminando por ahí, buscándome. Eso espero. Pero, ¿y si me estaba pidiendo ayuda? No estoy seguro. Cuando finalmente le contesté, ya no lo volví a oír.

CAPÍTULO 6

—Entonces es posible que Kevin esté atrapado en alguna parte, como lo estabas tú —dijo Joey.

—Tiene que estar cerca —dijo Fiona con las manos en la cintura, aguzando los ojos en busca de alguna señal de su amigo.

Empezaron a investigar, fijándose bajo pedazos de concreto y mirando dentro de cualquier abertura que encontraban entre los escombros.

—¡Kevin! ¡Kevin! —gritaban desesperados.

Luego de unos veinte minutos de búsqueda, empezaron a perder las esperanzas.

—Si está por aquí —dijo Joey—, va a necesitar más ayuda de la que le podemos dar. Necesitamos un equipo de rescate que levante los escombros. Quizás ellos lo puedan encontrar. Quizás no le haya pasado nada —dijo Joey, pero no sonaba muy seguro.

—Tienes razón. Podría estar esperando a ser rescatado en algún rincón bajo los escombros —dijo Fiona.

Pero tanto ella como Dylan tampoco

parecían estar muy seguros. Tenían los hombros caídos y el ceño fruncido por la preocupación.

—Es mi culpa —dijo Dylan con los ojos llorosos—. Íbamos detrás de ustedes hasta que Kevin se detuvo para filmar mi maldito *kickflip*. Deberíamos haber estado con ustedes. —Se secó los ojos—. Es mi culpa.

—Vamos… ¿Cómo podías saberlo? —dijo Fiona tocándole suavemente el hombro—. Ninguno de nosotros sabía lo que iba a ocurrir.

Dylan se encogió de hombros y miró hacia el suelo.

—¿Y ahora qué hacemos? —dijo. Respiró hondo y levantó la vista.

—Supongo que deberíamos volver a casa —dijo Joey—. Somos los únicos que sabemos dónde puede estar Kevin. Podemos decírselo a sus padres y así llaman a la policía para que traigan un equipo de rescate que nos ayude a encontrarlo.

Joey recordó noticias de terremotos en otros países. A veces se rescataba a personas sin apenas un rasguño incluso días después del desastre. No se rendirían todavía.

Joey, Fiona y Dylan le dieron la vuelta al túnel derrumbado y subieron la loma con la intención de volver a casa. Llegaron a la cima y luego comenzaron a bajar hacia el lugar donde Joey y Fiona habían estado después del terremoto. Los autos estaban vacíos. Habían sido abandonados. Ahora eran solo fantasmas en una calle que antes estaba atestada de tráfico.

Fiona gritó y señaló en la distancia. Por un momento, Joey contuvo la respiración. Ya no podía lidiar con más drama. No podía.

Pero no tuvo que hacerlo. Corriendo hacia ellos, con una gran sonrisa en la cara, ¡venía Kevin!

Fiona y Joey estaban pasmados. ¡Era un milagro!

—¡Muchacho! —dijo Dylan corriendo hacia Kevin.

Abrazó a su amigo, levantándolo del suelo y haciéndolo girar en el aire—. ¡No te pasó nada! —gritó. Luego lo bajó y lo sacudió para asegurarse de que era real—. ¡No lo puedo creer!

Kevin se echó a reír. Muy pronto Joey y Fiona estaban a su lado riendo también.

—¿Dónde estuvieron todo este tiempo? —preguntó Kevin.

Joey explicó lo que había sucedido, y Kevin abrió los ojos asombrado.

—Pensé que habían estirado la pata —dijo Kevin. Hablaba muy rápido, nervioso—. ¡Sobre todo tú, Dylan! Estábamos corriendo juntos y, un segundo después, todo se vino abajo. Te llamé, pero cuando no contestaste, pensé que había pasado lo peor. —Se volteó hacia Joey—. Entonces empecé a buscarlos a ti y a Fiona. Sabía que estaban más adelante y esperaba encontrarlos aquí a la salida del túnel —añadió señalando hacia la montaña de escombros.

—Estábamos buscándolos a ustedes... por eso fuimos al otro lado —dijo Fiona—. Qué irónico; debemos de habernos cruzado.

—Bueno, me alegra haberlos encontrado —dijo Kevin—. Estaba por rendirme y volver a casa.

—¡Casa! Allí es donde deberíamos estar. Basta de hablar. ¡Vámonos! —ordenó Fiona.

El grupo se dirigió a la acera y empezó a caminar hacia su vecindario. El camino estaba lleno de árboles caídos y había grietas en el suelo, pero aun así era el mejor camino para ir a pie.

—¡Chicos! ¡Miren lo que logré salvar! —dijo Kevin levantando su cámara y empezando a filmar el paisaje que antes era tan familiar y ahora parecía tan extraño.

Joey había recorrido este camino millones de veces. Era tan común para él que nunca había prestado atención a los edificios y las casas. Pero ahora absorbía cada pequeño detalle. Era fascinante y perturbador a la vez. Unas pocas casas habían quedado intactas de milagro. Bajo la luz del atardecer, parecían satisfechas consigo mismas, casi desafiantes. "¿Qué te creíste, terremoto?", parecían decir.

Pero la mayoría, sin embargo, no había corrido esa misma suerte. El vecindario era un desastre total.

Mientras Dylan iba a la cabeza del grupo, Joey notó algo más. El bolsillo trasero de los pantalones del chico colgaba de un hilo, y un gran tajo a lo largo de la costura dejaba ver sus calzoncillos. Joey no podía creer lo que veía.

¡El bravucón de Dylan usaba calzoncillos de *Star Wars*! Cualquier otro día, Joey se hubiera reído. Quizás hasta se lo hubiera dicho a los otros. Después de haber aguantado tantas burlas, sabía que Dylan se lo merecía. Pero hoy burlarse de alguien le parecía mal.

Así que continuó caminando en silencio.

CAPÍTULO 7

Lejos del túnel derrumbado, empezó a aparecer tráfico. Cada tanto, algún conductor ansioso, impaciente por llegar a casa, tocaba la bocina. Joey se preguntaba qué lograrían con tocar la bocina. Miraba hacia la fila de autos cada pocos segundos, esperando ver el auto de su papá. Cada vez que veía alguno que se parecía al sedán gris de su padre, le daba un vuelco el corazón.

Pero se desilusionaba rápidamente al ver a otra persona detrás del volante.

Por el camino, Joey vio a personas en sus jardines, inspeccionando el daño en sus casas. Se veían tristes, pero con una expresión decidida en el rostro, algunas incluso habían empezado a recoger vidrios rotos, ladrillos desparramados y pedazos de madera. Otras, abrumadas al ver la destrucción, no hacían más que llorar.

¡BUM! El sonido de una explosión hizo que todos saltaran. Joey, Fiona, Dylan y Kevin se miraron preocupados.

—¿Qué fue eso? —dijo Dylan frunciendo el ceño—. Sé que no fue un temblor secundario.

Segundos después oyeron sirenas en la

distancia. Era un sonido tranquilizador, pero Joey sabía que tomaría tiempo para que todas las personas que necesitaban ayuda la recibieran.

—Siento olor a gas —dijo Fiona—. Y a humo.

Una cuadra más adelante descubrieron la causa. Una casa se quemaba. Salía fuego de una ventana. Tres niños y su papá contemplaban la escena mientras un grupo de vecinos preocupados los rodeaba. Un labrador amarillo iba de aquí para allá, ladrando cada vez más fuerte. Joey escuchó a alguien gritar:

—¿Queda alguien en la casa?

—No —gritó el papá de los niños—. Estábamos todos afuera cuando ocurrió la explosión, hasta el perro. Se debe de haber roto una tubería de gas.

Las sirenas de los bomberos se oían cada vez más fuerte. Varios conductores de autos se detuvieron para ayudar y muy pronto el aullido de las sirenas era ensordecedor.

Kevin había estado filmando todo el tiempo, y acercó la cámara cuando los bomberos se pusieron en acción. Joey sintió que estaba en el set de una película de acción. Una con dobles, efectos especiales y cámaras profesionales.

"Así es como debería filmarse esto —pensó—, no con la insignificante camarita de Kevin".

Nada parecía real. Deseaba que de la

nada apareciera un director y gritara: "¡Corten!".

Joey y sus amigos dejaron la casa incendiada atrás, sabiendo que los bomberos pronto tendrían todo bajo control. Pero habían caminado tan solo una cuadra cuando vieron a una niña salir por detrás de una gran casa verde con la puerta de madera oscura. Corrió hacia ellos; sus ojos llenos de miedo. Parecía de unos cinco años. Estaba despeinada y tenía las mejillas llenas de lágrimas. El pecho le subía y le bajaba por el llanto.

—¡Mami! —exclamó—. ¡Mami! ¡No puedo encontrar a mi mami!

Fiona se arrodilló frente a ella y tomó las manitas de la niña.

—¿Vives por aquí, pequeña? —le preguntó con voz suave.

—Sí —dijo la niña soltando una mano y señalando hacia la casa verde—. Esa es mi casa.

—¿Cómo te llamas? —le preguntó Fiona.

—Emma. Emma Renee Albernathy —dijo la niña esbozando una leve sonrisa, como si estuviera orgullosa de su nombre.

Joey notó que se le hacía un hoyuelo en una mejilla cuando sonreía, como a Allie, su hermanita.

Fiona le devolvió la sonrisa.

—Me llamo Fiona. ¿Cuándo fue la última vez que viste a tu mamá?

Emma arrugó la frente, pensativa.

—Estaba afuera jugando en el jardín. Mi mamá estaba lavando los platos en la cocina, mirándome por la ventana. Me saludó. Después todo empezó a temblar. Y el porche de atrás se derrumbó. Yo me asusté y me escondí en mi casita de juguete.

Tenía miedo de salir, así que me quedé allí mucho tiempo. —Hizo una pausa y luego agregó—: Mi casita de juguete es rosada. Tiene un refrigerador de plástico.

—Seguramente es muy linda —dijo Fiona.

Joey observó la casa verde. Estaba dañada, pero todavía en pie. Se preguntó si la mamá de Emma estaría atrapada dentro.

—Dylan y yo entraremos a la casa a buscar a la mamá —les dijo a todos. Dylan era fuerte y Joey no sabía qué podrían encontrar dentro de la casa. Sólo sabía que no debía entrar solo—. Kevin y Fiona, ustedes quédense aquí con Emma.

Mientras Dylan y Joey se acercaban a la casa, Joey se sintió inquieto. Observó el techo medio derrumbado. ¿Qué pasaría si la casa no estaba firme?

Dylan debió de haber pensado lo mismo.

—¿Estás seguro de que esta es una buena idea? —le preguntó a Joey arqueando una ceja escéptico.

—¿Y si fuera *tu* mamá la que estuviera adentro? ¿No querrías que alguien fuera a buscarla? —le dijo Joey.

Dylan asintió.

Avanzaron lentamente, acercándose nerviosos al porche. Pero antes de llegar a la puerta principal, oyeron un grito de alegría detrás de ellos.

—¡Mami! ¡Mami!

Joey se volteó y vio a una mujer en la acera de enfrente. Parecía estar muy nerviosa.

—¡Emma! —gritó la mujer, llevándose las manos a la cara llena de asombro y alivio a la vez—. ¡Qué bueno que estás bien!

Lo único que le impedía a la Sra. Albernathy cruzar corriendo la calle para abrazar a su hija era un grueso cable caído que le bloqueaba el paso.

De pronto, Emma se soltó de la mano de Fiona y corrió hacia su mamá.

Más tarde, Joey diría que todo ocurrió muy rápido. Pero era extraño; a la misma vez todo pareció ocurrir en cámara lenta.

—Emma, ¡no! ¡Detente! —gritó Fiona sin saber qué hacer—. ¡Detente!

La Sra. Albernathy agitó los brazos.

—¡No! ¡Emma, no!

Sin darse cuenta, Joey salió corriendo a toda velocidad. Tenía que alcanzar a Emma antes de que llegara a la acera. Porque si la niña tocaba el cable caído, se electrocutaría.

CAPÍTULO 8

Joey le pasó por el lado a Fiona, que también corría hacia la niña. Pero Emma estaba tan contenta de ver a su mamá que nada le importaba. No tenía noción del peligro.

"No sabe lo que hace —pensó Joey—. Es solo una niña".

Y justo cuando Emma estaba a pulgadas del cable, Joey dio un salto. Agarró la camiseta violeta de Emma, halándola hacia atrás, ¡y levantó a la chiquilla en sus brazos justo a tiempo!

La niña intentó soltarse, pateándolo.

—¡Déjame bajar! ¡Quiero a mi mami! ¡Quiero a mi mami! —protestó.

Pero Joey no la soltó. Se alejó lentamente del cable a la vez que la mamá de Emma corría hasta el final de la cuadra para intentar cruzar hasta su casa.

Cuando llegó hasta donde estaba Joey, tomó a Emma en los brazos, la abrazó y enterró su cara en el pelo de la niña.

—No podía llegar a Emma después del terremoto. Estaba ahí al otro lado de la ventana pero no podía abrir la puerta de atrás de la casa porque el techo se derrumbó. Tuve que salir por la puerta del frente, y cuando llegué al jardín, ¡Emma había desaparecido! Pensé que quizás había ido a la casa de su amiga Jessica, enfrente. Pero al no encontrarla allí, corrí por todo el vecindario buscándola de casa en casa —dijo la mamá de Emma besando a su hija—. Ay, Emma, ¿dónde estabas?

—En mi casita de juguete —dijo Emma en voz baja.

—¿La casita de juguete? —preguntó la mamá, y empezó a reírse—. ¿La casita de juguete?

—Tenía miedo —dijo Emma.

—Ay, mi niña, yo también.

Para entonces, Fiona, Dylan y Kevin habían llegado hasta donde estaban Emma, su mamá y Joey.

La Sra. Albernathy miró el cable caído.

—Salvaste a mi hija —le dijo a Joey—.
Si no hubieras llegado a tiempo… —Su voz
se apagó y negó con la cabeza—. ¿Cómo
podré agradecértelo?

Joey no supo qué decir. Se encogió de
hombros.

—Solo me alegro de que Emma esté a
salvo —dijo.

—¿Corres pista en la escuela? ¡Nunca
he visto a nadie correr
tan rápido!

—No, solo pura
adrenalina, supongo
—dijo Joey. Emma
lo miró y le sonrió
tímidamente.

Parecía haberlo perdonado por agarrarla—.
Tengo una hermanita y Emma me la
recuerda —agregó Joey.

—Bueno, tiene mucha suerte de tenerte
como hermano —dijo la señora.

Joey pensó en lo frustrado que había
estado con Allie la última vez que la vio
en el parque. No estaba seguro de que
tuviera suerte de tenerlo como hermano.
Pero eso cambiaría. Si tan solo la encon-
trara sana y salva cuando llegara a
casa, trataría de ser el mejor hermano del
mundo.

—Debemos irnos —dijo Fiona.

—Gracias de nuevo —le dijo la Sra.
Albernathy a Joey—. Ni siquiera sé tu
nombre…

—Joey Flores.

—Bueno, Joey Flores, ¡eres un héroe! —dijo la señora sonriendo.

El grupo saludó con la mano y siguió su camino. Nadie emitió palabra. Había sido un largo día.

No habían caminado más de media cuadra cuando Fiona rompió el silencio.

—Joey, también me salvaste la vida a mí —dijo.

—¿De qué estás hablando? —preguntó Joey mirando a su amiga de reojo.

—Cuando ocurrió el terremoto y estábamos en el túnel, me quedé paralizada. Estaba tan sorprendida que no me podía mover. Ni siquiera podía pensar. Mi cerebro, mis brazos, mis piernas no me respondían. Tú habrías podido salir corriendo. Pero no lo hiciste. Me halaste y arrastraste hasta que reaccioné y me empecé a mover. Si te hubieras ido sin mí, no habría logrado escapar. Hubiera quedado enterrada.

Una vez más, Joey no supo qué decir. Sabía que Fiona tenía razón. Pero estaba agradecido de tener a su amiga caminando a su lado. No se sentía un héroe. Los héroes eran seres míticos. Él era tan solo Joey, un chico de diez años.

—Tú habrías hecho lo mismo por mí si me hubiera quedado paralizado, tú también habrías reaccionado y me habrías sacado de allí —le dijo Joey a Fiona.

—Bueno, ¡me alegro de que no hayamos tenido que comprobarlo! —dijo Fiona.

—Yo también —dijo Joey. Se encogió de hombros y sonrió.

—Joey… —dijo Dylan.

—¿Qué? —preguntó Joey.

Dylan miraba hacia adelante, a ningún punto en particular.

—Tú… también… este… —Las palabras no le salían, pero de pronto le dio un golpecito amistoso en el brazo a Joey—. También me salvaste, amigo. Fuiste tú quien se dio cuenta de cómo estaba atrapado. Te metiste en el hueco y me cortaste el pantalón para que pudiera salir. Hubiera quedado aplastado después del segundo temblor. Si no hubieras salido a tiempo de ahí, yo nunca me lo hubiera perdonado. Me habría sentido culpable toda la vida.

—Pero sí logré salir. Tú me sacaste, ¿te acuerdas? —le dijo Joey.

—Bueno, digamos que te debo una. Grande. ¿Entendido? Sería un panqueque si no fuera por ti —dijo Dylan.

Joey se dio cuenta de que, desde el terremoto, Dylan no se había burlado de él. Ni una vez.

Sonrió y no pudo resistir decir:

—De acuerdo, me debes una. Grande.

—No estás mal, para ser un niño chiquito —dijo Dylan, y le dio otro golpecito amistoso.

Joey le devolvió el golpecito.

—Huy, gracias...

—¡Ay, madre mía! —exclamó Kevin.

—¿Qué? —preguntaron todos.

—Se terminó la batería de mi cámara y no pude captar este momento tan conmovedor. Ni el "te debo una" de Dylan —dijo Kevin.

—Bueno, ¡qué suerte que no pudiste! —dijo Dylan, y todos se rieron.

Sin embargo, varios minutos después caminaban en silencio a medida que se acercaban a sus casas. Joey pensó en el feliz reencuentro que la pequeña Emma tuvo con su mamá. ¿Tendría él la misma suerte? ¿Y sus amigos?

—Bueno, llegué —dijo Fiona, cuando se acercaron a su calle. Nerviosa, se despidió de sus amigos con la mano—. Nos vemos luego —añadió, dándose media vuelta y caminando hacia su casa.

Luego le tocó a Kevin despedirse.

Joey y Dylan continuaron caminando hacia su edificio de apartamentos. Quién sabía qué encontrarían.

CAPÍTULO 9

Les faltaba solo una cuadra para llegar. Con cada paso, Joey se sentía más ansioso. Le galopaba el corazón. Podía sentir cada latido.

Dylan miraba hacia adelante, pero le dio una palmada a Joey en la espalda.

—Ya casi llegamos, amigo —dijo.

Joey asintió. Pasaron por el lado de una brigada de emergencia estacionada frente a un edificio con graves daños. Un enfermero empujaba a una mujer en una camilla hasta una ambulancia. La mujer parecía herida, pero estaba consciente.

Los viejos árboles adornaban las calles. Esta era la parte histórica de la ciudad: la mamá y el papá de Joey amaban el aspecto pintoresco y cuidado del vecindario y su arquitectura. Pero ya no se veía bien cuidado. El terremoto había desenterrado algunos de los árboles. Uno había caído sobre el tejado de una casa. Otro sobre la acera, y bloqueaba parte de la calle.

Joey entrecerró los ojos. La parte superior de su edificio tendría que verse en el horizonte. Era varios pisos más alto que las casas y otros edificios de apartamentos del vecindario. A menos que… a menos que se hubiera derrumbado. Se le hizo un nudo en la garganta. Apretó los puños y trató de respirar profundo.

¡Finalmente pudo divisar el edificio entre los árboles! Todavía estaba en pie, pero notó que algunas de las vigas de soporte del techo estaban a la vista. Eso no era buena señal. Aceleró el paso, trotó unos segundos y luego se echó a correr a toda velocidad. Dylan lo siguió.

Cuando llegaron al edificio, estaban casi sin aliento. Encontraron ventanas rotas, balcones torcidos y escombros desparramados por todas partes. Parte de una pared se había derrumbado mostrando el interior de algunos apartamentos. Joey vio camas volcadas, refrigeradores, mesas, sillas. Era como mirar dentro de una gigantesca casa de muñecas. Los muebles de uno de los apartamentos le parecieron conocidos. Joey jadeó. Era el apartamento de Dylan. El que compartía con su mamá y su abuela.

—¡No! —dijo Dylan.

Corrieron hacia la entrada del edificio, pero un agente de policía los detuvo antes de que pudieran acercarse demasiado.

—Lo siento, muchachos, este edificio aún no ha sido declarado seguro.

—¡Pero mi mamá y mi hermana están ahí! —dijo Joey—. ¡Tengo que verlas!

—El edificio ha sido evacuado. No hay nadie dentro.

—¿Están todos bien? —preguntó Dylan.

El agente de policía se encogió de hombros y negó con la cabeza.

Se escuchó una ambulancia pasar por la calle. ¿Llevaría a alguien que Joey conocía? ¿A su hermana? ¿A su mamá?

—La mayoría de los residentes está ahora en las canchas de básquetbol detrás del edificio. ¿Por qué no se fijan allí? —dijo el policía—. Si no encuentran a sus familiares, vuelvan a avisarme.

Joey y Dylan salieron corriendo hacia las canchas de básquetbol. El lugar estaba lleno de gente caminando por todos lados. Joey se abrió camino entre las personas y comenzó a buscar.

Por fin vio a su mamá. Tenía a Allie en brazos y le hablaba al hombre mayor que vivía en el apartamento frente al de ellos. Parecía cansada, e incluso desde lejos, Joey pudo ver sus ojos enrojecidos y llorosos.

—¡Mamá! —gritó.

Ella se dio vuelta y corrió hacia él, con Allie en sus brazos. Tan pronto se encontraron, su mamá lo abrazó fuerte.

—Menos mal que estás bien. Menos mal

que estás bien —decía una y otra vez sin soltarlo.

—¿Y papá? —preguntó Joey—. ¿Dónde está? ¿Has tenido noticias de él?

La mamá de Joey entrecerró los ojos preocupada.

—Todavía no. —Sonrió intentando tranquilizarlo—. Seguro que hay mucho tráfico. Todo es una locura. Debe de haber muchos desvíos producto de los derrumbes. Puede que tarde un rato, pero estoy segura de que está bien.

Un torrente de fuertes emociones invadió a Joey. Estaba aliviado de haber encontrado a su mamá y a Allie, pero también preocupado por su papá. Se sentó en el asfalto de la cancha de básquetbol y apoyó la cabeza sobre las rodillas. Cuando la levantó, vio a Dylan, a pocas yardas de donde estaba sentado. Su abuela le había tomado la cara entre sus manos y lo estaba atosigando a besos, mientras que su mamá se secaba las lágrimas. A Dylan no parecía molestarle mucho. El chico miró a Joey y puso los ojos en blanco, pero sonreía.

De pronto, un hombre de traje dio unas palmadas y emitió un silbido para llamar la atención de todos.

—Favor de acercarse —gritó—. Soy del Departamento de Edificios y Seguridad y tengo que hacer un anuncio.

Todos se apresuraron para encontrar un lugar desde donde escuchar. Joey se quedó cerca de su mamá. Se encaminaron hacia el frente de la muchedumbre.

Cuando hubo silencio, el hombre empezó a hablar:

—Nadie podrá ingresar a ningún apartamento de este edificio esta noche.

CAPÍTULO 10

La muchedumbre, frustrada, protestó.

El hombre alzó las manos.

—Sé que esto no es lo que esperaban escuchar, pero no podemos dejarlos entrar hasta que se haga la inspección de seguridad. Además de los arreglos a la pared exterior, necesitamos asegurarnos de que la estructura está firme. Puede haber otros daños que no se ven a simple vista y necesitamos expertos que la revisen.

—¿Cuándo lo harán? ¿Cuándo podremos volver a nuestros apartamentos? —preguntó alguien.

—No puedo decirles con certeza. Pero sepan que estamos trabajando mucho para que todo vuelva a la normalidad lo antes posible. Mientras tanto, si necesitan un lugar donde quedarse, estamos preparando el centro recreativo en la calle Quinton para poder ofrecer alojamiento de emergencia.

—¿Qué vamos a hacer? —preguntó Joey a su mamá.

—Supongo que debemos ir al centro recreativo.

—Pero, ¿y papá? —dijo Joey.

La Sra. Flores le pasó el brazo por encima a su hijo.

—No te preocupes. Nos encontrará —dijo.

Pero Joey estaba muy preocupado. No podría tranquilizarse hasta que su familia estuviera nuevamente reunida.

Algunos de los residentes del edificio decidieron quedarse con amigos o vecinos, pero otros no tuvieron más remedio que acampar en el centro recreativo.

Joey, su mamá y Allie fueron recibidos por voluntarios de la Cruz Roja, quienes anotaron sus nombres y datos personales. Esto hizo sentir a Joey un poco mejor. Al menos así su papá los podría rastrear. Eso era *si* estaba vivo.

El gimnasio estaba lleno de catres.

Repartían botellas de agua y sándwiches que alguien había donado. Hacía calor y la gente se abanicaba para mantenerse fresca en el atestado espacio. Pero aunque no fuera un hotel de lujo, a nadie parecía importarle. Estaban muy ocupados intercambiando historias. Todos estaban felices de haber sobrevivido al terremoto.

Luego de comerse un sándwich de jamón y queso, Joey se acomodó en uno de los catres. La Sra. Flores estaba sentada en una silla alrededor de una mesa plegable, hablando con algunos vecinos mientras trataba de entretener a Allie. Todo había sido tan rápido y confuso que Joey no había tenido la oportunidad de contarle lo que había vivido. Pero quizás así era mejor.

Tenía la sensación de que le daría un ataque si se enteraba.

Joey dio un suspiro. Le esperaba una larga noche sin mucho que hacer. Al rato, apareció Dylan con un mazo de cartas y se sentó junto a él.

—Una señora estaba repartiendo cartas —dijo—. ¿Quieres jugar una partida de rummy?

—Buena idea —dijo Joey. Pero le costaba concentrarse en el juego con su papá desaparecido. Trató de no pensar en los autos aplastados que había visto, pero no podía sacarse esas imágenes de la cabeza.

—Me pregunto cómo estarán Kevin y Fiona —dijo Joey, más para sí mismo que para Dylan.

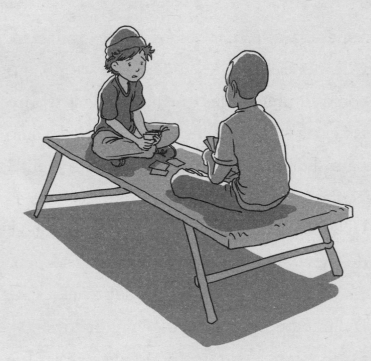

Dylan asintió.

—Los llamaría pero… ya sabes lo que pasó con mi teléfono… —dijo.

Joey se dio cuenta de que el terremoto había alterado todo. El mundo exterior y el mundo interior de cada uno de ellos.

Esperaba que sus amigos estuvieran bien. Que sus casas no estuvieran derrumbadas como algunas de las que habían visto. Miró las cartas con los ojos entrecerrados, como para borrar las imágenes de su mente. Tenía un siete y un ocho de corazones, y Dylan se acababa de deshacer de un nueve de corazones. Lo levantó y puso la secuencia de cartas boca arriba sobre el catre. Dylan de pronto lo tocó con el dedo.

—¿Qué? —protestó Joey—. Esa fue una jugada legítima.

Dylan sonrió y apuntó detrás de Joey.

Joey se dio vuelta y vio a su papá entrando por las puertas del gimnasio. Se veía cansado y abrumado. Tenía la camisa desabotonada y la corbata desatada. Pero cuando vio a Joey, se le iluminó la cara. A Joey no le importó quién estuviera mirando; se levantó de un salto y corrió hacia los brazos abiertos de su papá.

—¡Hola, Joey! —dijo su papá abrazándolo fuerte—. ¿Dónde están tu mamá y Allie?

—Allí, en las mesas —dijo Joey apuntando a un lado.

Nunca había estado tan emocionado en su vida. Ni en la mañana de Navidad, ni el día en que le regalaron la patineta. Nada en el mundo se comparaba a este momento. Tenía a su familia.

"Estamos juntos y eso es todo lo que importa", pensó, mirando a su papá acercarse a las mesas.

Su mamá debió de haber pensado lo mismo porque la familia entera se unió en un abrazo gigante.

—¡Qué viaje de regreso a casa! —dijo el papá de Joey una vez que se soltaron del abrazo—. Varias autopistas estaban cerradas. Un tráfico increíble hizo que avanzáramos a paso de tortuga. Escuché que se derrumbó el túnel de la calle Franklin.

—Sí —dijo Joey.

Sus padres lo miraron sorprendidos. Él les explicó que estaba en el túnel cuando comenzó el terremoto. Que él y

Fiona apenas habían logrado escapar, que él había rescatado a Dylan y que luego encontraron a Kevin. Los ojos de su mamá querían salirse de sus órbitas, y Joey se arrepintió de haberle contado todo. Seguramente ya no lo volvería a dejar venir del parque solo.

Pero no conocía a su mamá tan bien como pensaba.

—Parece que sabías exactamente lo que debías hacer para mantenerte a ti y a tus amigos a salvo. Estoy muy orgullosa de ti —dijo su mamá.

—Yo también lo estoy —dijo su papá, y le pasó la mano por el pelo—. Estoy orgulloso de que seas mi hijo.

—Y yo muy orgulloso de que seas mi

papá —dijo Joey, y lo sentía con todo su corazón.

Más tarde esa noche, Joey y Dylan continuaron su partida de rummy y jugaron varias veces más. Pero Joey seguía sin poder concentrarse y terminó perdiendo. Él y Dylan habían logrado reencontrarse con sus familias, pero, ¿qué habría pasado con Fiona y Kevin? ¿Estarían destruidas sus casas? ¿Estarían a salvo sus familias? Las respuestas a esas preguntas eran un misterio.

CAPÍTULO 11

Dos semanas más tarde, Joey conocía las respuestas. Él, Fiona, Kevin y Dylan estaban sentados alrededor de la computadora portátil en el cuarto de Joey. Kevin finalmente iba a subir el video que había filmado en el parque de patinetas y lo podrían ver.

Todo estaba empezando a volver a la normalidad. Las familias de Joey y Dylan tuvieron que quedarse en el centro recreativo una semana, hasta que se declaró seguro el edificio. Al principio había sido como acampar, pero todos se cansaron pronto del hacinamiento, la comida de lata y los incómodos catres.

Cuando Joey finalmente entró a su apartamento, pensó que iba a explotar de alegría. Sí, estaba lleno de polvo y olía mal, pero salvo algunos objetos caídos, era como si solo se hubieran ido de viaje. Algunos de los juguetes de Allie estaban desparramados por el piso de la sala y había platos sucios en el fregadero; no hubo tiempo de ordenar después del terremoto. Pero no había otro lugar en el que Joey quisiera estar. Este era su hogar y lo había echado de menos.

Kevin conectó la cámara portátil a la computadora de Joey e hizo doble clic en la aplicación de videos.

—¿Cómo está tu papá? —preguntó Joey.

El papá de Kevin estaba en su trabajo cuando empezó el terremoto y una pared le había caído encima. Tenía algunas heridas internas y había estado unos días en el hospital.

—Bien, gracias —dijo Kevin sonriendo—. Ya volvió al trabajo. Está casi completamente recuperado.

—Me alegro —dijo Joey. Y por millonésima vez desde el terremoto, realmente lo estaba. Todos los demás miembros de la familia de Kevin había salido ilesos, y la familia de Fiona también.

—¡Ya va a comenzar! —dijo Kevin.

Y de pronto, el cuarto se llenó de los sonidos del parque: ruidos metálicos, chicos hablando y gritando.

Y ahí estaba Joey deslizándose elegantemente por la barra metálica. Luego Fiona bajó por el medio tubo como si nada justo antes de que la cámara enfocara a Joey cayéndose la primera vez. Se lo veía caerse a mitad de camino un poco avergonzado y, luego, sonriendo triunfante.

Ver nuevamente su patineta puso un poco triste a Joey. La había perdido en el terremoto. Pero sabía que algún día tendría otra y que podría ir al parque de patinetas con sus amigos de nuevo.

El grupo observaba atentamente, con los ojos pegados a la pantalla, cuando la escena de pronto cambió completamente. En lugar del parque se veía ahora el túnel que pasaba por debajo de la autopista y luego una imagen de cerca de Dylan haciendo un *kickflip*. La escena había sido filmada justo antes de que el mundo se derrumbara ante ellos.

Miraron muy seriamente lo que Kevin había filmado: la montaña de concreto del túnel colapsado, casas y edificios destruidos, personas en estado de shock, vecinos ayudándose unos a otros. Vieron el brillo horrible de la casa incendiada y sintieron alivio de nuevo al ver llegar el camión de bomberos. Luego vieron a la pequeña Emma saludándolos sana y salva en los brazos de su mamá.

Joey pensó en su propia familia. Siempre se había enojado con sus papás y con Allie, pero desde el terremoto había empezado a valorarlos más. Antes había querido tener un papá más *cool*, pero ahora agradecía tan solo tener un papá sano y contento que lo quería. Sabía que su familia lo haría enojarse de nuevo de vez en cuando. Eso era inevitable. Pero nunca vería las cosas de la misma manera que antes… Nunca olvidaría que tenía suerte de tener a su familia y a sus amigos. La tierra se había movido, pero también lo había hecho su perspectiva sobre las cosas.

De pronto, el video mostró el bolsillo roto del pantalón de Dylan. Y allí, en medio de la tristeza, de la destrucción, de la generosidad y de la esperanza de ese día, estaban C-3PO y R2-D2 asomándose por el agujero en los pantalones de Dylan.

—¿Qué diablos? —exclamó Dylan—. Kevin, ¡me las vas a pagar!

Todos se rieron, incluso Dylan, que se encogió de hombros, un poco avergonzado.

—Eh, no hay nada de malo con *Star Wars*. Es un clásico, ¿saben? —dijo.

Joey pensó que si Dylan se burlaba de

él en el futuro, al menos ahora tenía una historia vergonzosa sobre su amigo para compartir. Pero luego se dio cuenta de que con todo lo que había sucedido, Dylan ya no sería un problema.

Más datos sobre los TERREMOTOS

Más de 500.000 terremotos azotan el mundo cada año. Los científicos usan máquinas llamadas sismómetros para medir la magnitud, o tamaño e intensidad, de los terremotos. Un terremoto de una magnitud de 3 o menor generalmente no se siente, pero uno de una magnitud de 6 o mayor puede causar graves daños.

La capa exterior de la Tierra está formada por grandes piezas –o placas– que se mueven lentamente. Cuando estas placas chocan o rozan entre sí, pueden causar un terremoto. Y cuando un terremoto agrieta la capa exterior de la Tierra y causa temblores violentos, las autopistas pueden colapsar y los puentes pueden derrumbarse.

Aunque los temblores de tierra son peligrosos, los terremotos pueden causar otros desastres naturales como avalanchas y desprendimientos, que pueden ser aún más letales. Los terremotos que ocurren bajo el mar pueden provocar *tsunamis*, u olas gigantes, que pueden inundar las costas.

El 18 de abril de 1906, hubo un gran terremoto en San Francisco, California. Solo duró un minuto, pero provocó fuegos que quemaron todo lo que encontraron a su paso durante tres días, y destruyeron alrededor de 490 manzanas de la ciudad.

Más recientemente, un terremoto azotó Indonesia el 26 de diciembre de 2004. El terremoto duró casi diez minutos: fue el terremoto más largo registrado.

EL 12 de enero de 2010, un terremoto azotó la isla de Haití. El desastre afectó a alrededor de 3,5 millones de personas y dañó o destruyó unas 4.000 escuelas.

Algunos científicos han observado a animales actuar de manera extraña antes de un terremoto. Por ejemplo, ranas y abejas han abandonado sus hogares, iy las gallinas se han negado a poner huevos! Nadie sabe cómo o por qué los animales pueden presentir que va a ocurrir un terremoto.

Es muy difícil predecir cuándo va a azotar un terremoto. Si sientes que el suelo empieza a temblar, hay algunas cosas que puedes hacer para mantenerte a salvo:

- Aléjate de ventanas y muebles pesados como estanterías de libros o cómodas que podrían caerte encima.

- Esconderte bajo una mesa, cama o escritorio también puede protegerte de los objetos que caen.

- Si estás afuera, intenta quedarte en una zona abierta, lejos de edificios, árboles o cables de electricidad.

SOBRE LA AUTORA

Marlane Kennedy es la autora de *Me and the Pumpkin Queen* y *The Dog Days of Charlotte Hayes*. Ha vivido un terremoto leve, la tormenta de nieve de 1978 y un tornado que atravesó Wooster, Ohio, donde vive con su esposo y su hija. Aunque le divierte mucho escribir sobre desastres naturales, ¡espera no agregar ninguno más a esta lista! La puedes encontrar en Internet en www.marlanekennedy.com.